GIALLO ALL'ITALIANA
LETTURE GRADUATE

Le indagini del capitano Rossetti

IL KIMONO DI MADAMA BUTTERFLY

SLAWKA G. SCARSO

SLAWKA GIORGIA SCARSO

Metà italiana, metà polacca e un pizzico inglese, Slawka Giorgia Scarso è autrice delle guide di viaggio *Il vino a Roma* (Castelvecchi Editore, 2010) e *Il vino in Italia* (Castelvecchi Editore, 2011) e coautrice del volume *Custodi di identità* (INEA, 2012). Collabora con la rivista di letteratura «Il Colophon». Ha un blog intitolato Nano Pausa, Micro Lettura (www.nanopausa.com). È vincitrice del concorso letterario "Giallo all'italiana", organizzato da Casa delle Lingue in collaborazione con il Circolo Letterario Bel-Ami.

Dal 2005, il Circolo Letterario Bel-Ami opera a Roma nei settori della letteratura, del teatro, della pittura e dell'arte in genere, promuovendo e organizzando mostre, seminari, dibattiti, reading, conferenze e concorsi letterari. Insieme a Casa delle Lingue ha indetto il concorso letterario "Giallo all'italiana".

LE INDAGINI DEL CAPITANO ROSSETTI

Il capitano Caterina Rossetti è in servizio presso il Comando Carabinieri Tutela del Patrimonio Culturale. Ha 33 anni, vive e lavora a Roma con il suo cane Ludovico. È fidanzata con Guido, un medico di 36 anni che ha conosciuto durante un'indagine. È un'appassionata di arte medievale, le piace cucinare ed è un'amante della buona tavola. Adora fare lunghe passeggiate per il centro di Roma con Guido e scoprire angolini nascosti. Quando è molto stressata dal lavoro va a correre con il suo cane.

INDICE

PRIMA DI LEGGERE   p. 06

CAPITOLO 1 UN PO' DI VACANZE   p. 07

CAPITOLO 2 LA SCALA   p. 10

CAPITOLO 3 DOPPIO CRIMINE   p. 15

CAPITOLO 4 CONTRASTI   p. 22

CAPITOLO 5 NUOVI DETTAGLI   p. 26

CAPITOLO 6 CASO CHIUSO   p. 30

NOTE CULTURALI   p. 33

ATTIVITÀ   p. 38

SOLUZIONI   p. 59

ASCOLTA LA LETTURA TEATRALIZZATA
DEL KIMONO DI MADAMA BUTTERFLY SU WWW.CDL-EDIZIONI.COM
(CATALOGO —> LETTURE —> IL KIMONO DI MADAMA BUTTERFLY)

PRIMA DI LEGGERE

1. Sai chi è Madama Butterfly? Perché indossa un kimono?

....

....

....

....

2. Osserva queste fotografie: riconosci questi luoghi? Sai di quale
città si tratta? Localizzala su una cartina dell'Italia:

| Duomo | Galleria Vittorio Emanuele II | Navigli |

3. Cos'altro sai di questa città? Indica luoghi, monumenti, pro-
dotti tipici, ecc.

....

....

....

....

CAPITOLO 1 **UN PO' DI VACANZE**

"Avevamo proprio bisogno di questa vacanza" commenta Guido alzando gli occhi dal giornale e prendendo la mano di Caterina. Lei sta guardando fuori dal finestrino la Pianura Padana che perde i suoi colori mano a mano che si avvicina l'inverno. Si volta verso di lui, gli sorride. Era molto tempo che volevano fare una vacanza insieme, ma ogni volta 5 c'era un imprevisto. Per fortuna stavolta sono riusciti a organizzarsi e non c'è stato nessun incarico[1] dell'ultimo minuto.

- -

1. Compito di lavoro

Il treno è pieno di gente, non c'è neppure un posto libero. Attorno a loro ci sono pendolari[2] che rientrano a casa, famiglie che si spostano per il ponte dell'Immacolata[3], turisti che vanno a Milano per fare shopping nelle vie della moda. E poi nel capoluogo lombardo[4] si festeggia
5 il patrono[5], Sant'Ambrogio.

"Secondo te, riusciamo ad andare alla fiera degli *Oh bej! Oh bej!?*"[6] chiede Guido. Quando si tratta di un mercatino natalizio come quello che si organizza a Milano per Sant'Ambrogio, torna bambino, gli luccicano anche gli occhi. In questo è completamente diverso da lei. Ed è
10 uno dei motivi per cui Caterina se n'è innamorata.

"Che ne dici di domani mattina? E nel pomeriggio andiamo a Brera[7]."

"O al Museo del Novecento[8]! So che è molto bello."

"Al museo potremmo andarci anche oggi pomeriggio. L'albergo è
15 vicino a San Babila[9], possiamo fare una passeggiata verso il Duomo[10] e poi abbiamo tempo di rientrare e prepararci con calma per l'Opera."

"Affare fatto! E poi dobbiamo fare un giro anche sui Navigli[11], eh?"[12] aggiunge Guido. Poi si solleva e si avvicina per darle un bacio. Caterina è in imbarazzo, non ama molto i gesti d'affetto in pubblico, ma sa che
20 deve fare un piccolo sforzo, a volte forse è un po' rigida[13].

Il pomeriggio passeggiano mano nella mano[14] per le vie del centro,

---

2. Persone che si spostano ogni giorno per andare al lavoro | **3.** L'Immacolata è una festa della Chiesa cattolica che si celebra l'8 dicembre. Un ponte è un giorno lavorativo tra due giorni festivi e in cui non si lavora | **4.** Milano | **5.** Santo che protegge una città | **6.** Mercatino natalizio di Milano | **7.** Quartiere storico di Milano | **8.** Famoso museo di Milano | **9.** Zona di Milano che prende il nome dalla sua chiesa | **10.** La chiesa principale di Milano | **11.** Zona caratteristica di Milano con una vita molto vivace | **12.** D'accordo? | **13.** Severa, seria | **14.** Tenendosi per mano guardano le luminarie[15] appese da un palazzo all'altro e i negozi decorati per il Natale, si fermano davanti al gigantesco[16] albero in piazza del Duomo[17], rispettano il rituale del toro in Galleria[18]. Guido approfitta di ogni occasione per fare una foto a Caterina. Ogni tanto chiedono a qualcuno di fotografarli insieme.

Prima di rientrare per prepararsi, prendono un tipico aperitivo milanese… un vero banchetto! In albergo, Caterina esce dal bagno con un abito da sera nero: davanti è semplicissimo, ma sulla schiena ha una scollatura provocante[19]. Indossa la collana di perle e gli orecchini di sua madre.

"Incredibile. Una volta tanto sei vestita da donna!" scherza Guido mentre lei gli aggiusta il cravattino[20].

"Non capita tutti i giorni di andare alla prima della Scala[21]" risponde Caterina, e si siede sul letto per infilarsi le scarpe. "Se vuoi, però, mi cambio…" e strizza l'occhio[22].

"No! No! No!"

---

15. Luci che decorano le strade durante le feste | 16. Molto grande, enorme | 17. La piazza principale di Milano | 18. Secondo la tradizione, girare per tre volte sull'immagine del toro in Galleria Vittorio Emanuele II porta fortuna | 19. Che si nota, attira gli sguardi | 20. Piccola cravatta con il nodo a farfalla che si indossa in occasioni eleganti | 21. Importante teatro di Milano. "La prima" è la prima rappresentazione di un'opera | 22. Fa l'occhiolino

TRACCIA 2

CAPITOLO 2 LA SCALA

Quando il taxi li lascia davanti al teatro, si devono fare strada[1] tra le forze dell'ordine e una folla di gente che è lì per vedere i personaggi famosi che entrano.

"Non immaginavo di vedere così tanti tuoi colleghi... Chi ci sarà, il Presidente della Repubblica, e poi?

"Esatto, lui, un po' di politici, e tutti i VIP che vogliono farsi un po' di pubblicità. E poi pare che tra i costumi ci sarà un kimono prezioso che useranno solo per la prima."

---

1. Passare in mezzo con difficoltà

"Quanto prezioso?"

"L'hanno venduto a Sotheby's per un milione e mezzo di dollari, l'anno scorso. Era della moglie di un imperatore."

"Caspita! Beh comunque la cosa più importante è che oggi non lavori!"

"Oggi proprio no!" dice Caterina, e gli mostra il cellulare spento. Poi gli poggia una mano sul braccio, per rassicurarlo[2]. "Siamo qui in vacanza, no?"

Fanno vedere il biglietto a una delle maschere[3] che gli indica la scalinata a destra. Mentre stanno salendo, si sente una voce dal foyer[4]:

"Capitano! Capitano Rossetti!"

"La prossima volta in incognito[5], va bene?" sospira Guido e alza gli occhi al cielo[6].

Caterina guarda verso il basso. Un uomo sulla sessantina[7], in divisa ufficiale, la saluta con la mano e subito dopo le fa segno di aspettare.

"Generale!" esclama Caterina, "che piacere rivederla!"

"Capitano, il piacere è tutto mio[8]" dice il generale con tono paterno mentre si stringono la mano.

"Le presento il mio fidanzato, il dottor Guido Anselmi."

"Ragazzo fortunato!" commenta il generale. Ha un sorriso aperto, molto cordiale[9] e una stretta di mano energica. "Arturo Liguori, molto lieto."

---

2. Dargli sicurezza | 3. Impiegato del teatro che controlla i biglietti e indica agli spettatori il loro posto | 4. La sala d'attesa dei teatri | 5. Senza farci riconoscere | 6. Alza gli occhi verso l'alto, come quando si perde la pazienza | 7. Che ha circa sessant'anni | 8. Formula di cortesia quando s'incontra qualcuno | 9. Amichevole

"Capitano Rossetti, ho letto sui giornali che è passata al Nucleo Tutela Patrimonio Artistico[10]. Le faccio i complimenti per quel quadro di Rembrandt che avete recuperato[11] a settembre."

"La ringrazio, Generale."

5   "Di certo è in vacanza, ma se ha tempo perché non mi fa uno squillo[12]? Potremmo prendere un caffè insieme, magari. Se anche il dottor Anselmi è d'accordo, ovviamente."

"Ci mancherebbe[13]" dice Guido mentre si sforza di sorridere.

"Allora buona serata!"

10   "Buona serata."

Caterina e Guido si siedono al loro posto in galleria[14] e in poco tempo il teatro si riempie. Ovunque si vedono diamanti e perle che brillano, mentre l'orchestra accorda[15] e prova gli strumenti. Una voce ricorda di spegnere i cellulari, lo spettacolo comincia tra pochi mi-

15   nuti. Il brusio[16] della gente continua, qualcuno si alza per far passare una coppia, qualcun altro saluta da una fila all'altra, altri si sbracciano[17] per farsi notare da un amico ritardatario[18]. Entrano alcuni politici, con i sorrisi già pronti per la campagna elettorale[19] e qualche ballerina della televisione con il fidanzato calciatore che già sbadi-

20   glia. Dalla platea[20], il generale saluta Caterina e Guido. Poi le luci si abbassano, la gente smette di parlare e il sipario[21] si apre nel silenzio totale: il matrimonio di Madama Butterfly e Pinkerton, poi la par-

---

10. La squadra di Carabinieri che si occupa del patrimonio artistico | 11. Ripreso, ritrovato | 12. Una telefonata veloce | 13. Certo | 14. Zona dove si trovano i posti in alto | 15. Dà la giusta intonazione agli strumenti | 16. Rumore di persone che parlano a voce bassa | 17. Agitano le braccia per farsi vedere | 18. Che arriva tardi | 19. Il periodo prima delle elezioni, in cui i politici si fanno pubblicità | 20. Posti in basso, di fronte al palco | 21. La grande tenda sul palco

tenza di lui per gli Stati Uniti, infine la lunga attesa di lei. Caterina vede le signore, in galleria e in platea, che tirano fuori i fazzoletti alla fine di *Un bel dì vedremo*[22]. Un po' si commuove anche lei, ma riesce a trattenersi per un pelo[23]. Infine arriva il terzo atto.

"Ecco, ora ci sarà l'antico kimono" sussurra[24] Caterina all'orec- 5
chio di Guido.

Il sipario si riapre, ma il palcoscenico[25] resta vuoto. Il pubblico aspetta in silenzio e senza muoversi. Passa un minuto intero, non succede nulla. Qualcuno tossisce piano. Altri sussurrano tra loro, si chiedono cosa succede. Qualcun altro muove la testa per vedere 10
se sul palcoscenico c'è qualcosa che gli sfugge. Infine, nel silenzio della Scala, si sente un lungo grido, la voce di una donna.

Caterina si fa avanti per vedere meglio. Gli spettatori si agitano: tutti parlano, si fanno domande tra loro, qualcuno si alza, nessuno capisce cosa succede. Poi si sente la voce di poco prima: 15

"Attenzione" dice, e tutti fanno *shhhh* e smettono di parlare.

"Avvisiamo gli spettatori" riprende la voce "che lo spettacolo riprenderà tra quindici minuti. Ci scusiamo per il disagio e vi preghiamo di rimanere ai vostri posti. Grazie."

"Cosa sarà successo?" domanda Guido. 20

"Non lo voglio sapere...", sospira Caterina. Poi si sporge[26] in avanti, stavolta per cercare il generale. Il posto dell'uomo, però, adesso è vuoto. In quel momento una voce dice:

"Capitano Rossetti?"

---

22. Una famosa aria cantata da Butterfly | 23. Riesce a fatica a non piangere | 24. Dice a voce bassissima | 25. Parte del teatro in cui recitano gli attori | 26. Si fa avanti

Caterina si volta. Un carabiniere sui venticinque anni[27], con la faccia tonda e l'aria un po' impacciata[28], abbozza[29] un sorriso, poi si avvicina e le dice piano:

"Il generale Liguori la vorrebbe vedere."

5   "Certamente" risponde subito Caterina. Poi si volta verso Guido:

"Aspettami qui, torno prima dell'inizio del terzo atto, non ti preoccupare."

"Certo, certo…" sospira Guido.

Già se lo sente[30], la vacanza romantica è bella e finita[31].

---

27. Di circa venticinque anni | 28. Imbarazzato, timido | 29. Prova a sorridere, un po' imbarazzato | 30. Ha una sensazione | 31. Completamente finita

CAPITOLO 3 DOPPIO CRIMINE

"Cos'è successo?" domanda Caterina appena escono dalla galleria. Il carabiniere le fa strada e cammina svelto, troppo svelto per Caterina che non indossa mai i tacchi.

"Mi dispiace, non so nulla. Mi hanno solo detto di accompagnarla dal Generale, nei camerini[1]."

Dietro le quinte[2] è pieno di carabinieri. Si fanno strada a fatica e trovano il Generale davanti a uno dei camerini. Vicino a lui, seduta

5

---

1. Le stanze in cui gli attori si preparano per lo spettacolo | 2. Le zone coperte da tende ai lati del palco, da cui entrano ed escono gli attori

su una sedia, c'è una donna tra i quaranta e i quarantacinque anni con i capelli a caschetto[3] e una cartellina appoggiata sulle ginocchia. Si copre gli occhi con le mani, piange.

"Capitano, eccola" dice il generale e indica il camerino. Dentro
5 c'è una donna che Caterina riconosce subito: è Lucille Prévert, la soprano che interpreta[4] Madama Butterfly. La donna è a terra. Morta.

"La signora Fronzoli, la responsabile di scena[5], ha trovato il cadavere[6]" spiega il generale, e la donna piange ancora più forte
10 quando sente la parola 'cadavere'.

"Capitano, l'ho fatta chiamare anche se è in vacanza perché questo non è solo un omicidio[7]. Purtroppo…"

"… È anche un furto. Il kimono è scomparso" intuisce[8] Caterina.

"Esattamente. Per questo vorrei chiederle di collaborare a questa
15 indagine. Il kimono è una vera opera d'arte."

Caterina pensa a Guido rimasto da solo in galleria, poi guarda la donna morta nel suo camerino. Infine accetta la richiesta del suo superiore.

"Lavorerà con il maggiore Santoro. Eccolo, sta arrivando anche
20 lui" dice il Generale e indica la porta. Caterina si volta e vede un bell'uomo sulla quarantina[9] con gli occhi azzurri che risaltano[10] sulla carnagione[11] scura; qualche capello grigio lo fa assomigliare a un attore famoso, e dal sorriso si capisce che sa il fatto suo[12]. Da ogni punto di vista[13].

---

3. Tagliati corti, con una forma che ricorda un casco | 4. Fa la parte di | 5. Persona che controlla tutto quello che si trova sul palco: luci, costumi , scenografie | 6. Corpo senza vita | 7. Uccisione di una persona | 8. Ha un'intuizione | 9. Di circa quarant'anni | 10. Si notano molto | 11. Colore della pelle | 12. È sicuro di se stesso | 13. In tutti i campi

"Maggiore Salvatore Santoro" si presenta con un sorrisone[14].
Caterina conosce già il suo nome perché lo ha letto sui giornali.
Sa che in passato Santoro ha indagato su alcuni casi di omicidio in
Sicilia. Il Generale spiega che il direttore del teatro ha consigliato
di non dare subito la notizia dell'omicidio per non creare panico[15].

"The show must go on" commenta Santoro.

"In questo momento, in scena[16] c'è la sostituta[17], Viola Felici"
aggiunge la signora Fronzoli. Nel frattempo arrivano il medico legale[18] e il pubblico ministero[19]. Mentre portano via il cadavere, il
medico dà le prime informazioni.

"È stata uccisa con un oggetto contundente[20], probabilmente di
metallo. Potrò fare qualche ipotesi quando avrò finito l'autopsia[21].
Di sicuro la vittima ha lottato[22]: sotto le unghie sono rimasti dei
residui[23]. Le analisi ci diranno di cosa si tratta."

"Quindi forse l'omicidio non è stato premeditato[24]…" commenta
Caterina.

"Già. Altrimenti l'assassino avrebbe portato con sé una vera
arma. Un furto andato male, allora?" domanda Santoro. Caterina
annuisce[25].

"Mi sembra un'ipotesi plausibile[26]. Comunque ci sentiamo domani, appena avrò i risultati di tutte le analisi" risponde il medico
legale.

---

14. Un grande sorriso | 15. Paura e confusione | 16. Sul palco | 17. La per-
sona che sostituisce l'attore o l'attrice principale | 18. Il medico che esami-
na i cadaveri e fa le autopsie | 19. Il giudice che dirige le indagini | 20. Che
provoca una contusione, un trauma provocato da un colpo | 21. Analisi che
il medico legale fa su un cadavere | 22. Ha combattuto, si è difesa | 23. Re-
sti di materiale | 24. Preparato prima | 25. Fa segno di sì con la testa | 26.
Che può essere convincente

Con voce rassicurante, Caterina si rivolge alla signora Fronzoli:
"Signora, potrebbe raccontarci cosa ha visto?"
La donna alza lo sguardo, si soffia il naso, poi fa sì con la testa.
"C'è una stanza dove possiamo andare per stare più tranquilli?"
5   Vanno in un camerino lì vicino. Mentre fa sedere la responsabile di scena, Caterina scambia uno sguardo d'intesa[27] con Santoro:
parlerà lei. Poi prende dalla borsetta un taccuino[28] e una penna che
porta sempre con sé.
"Mi racconti cosa è successo. Quando è stata l'ultima volta che
10   ha visto Lucille viva?"
"All'inizio dell'intervallo tra il secondo e il terzo atto. L'ho ac-
compagnata al suo camerino per aiutarla a indossare il kimono,
però mi hanno chiamata perché c'era un problema con una scenografia[29] dell'ultimo atto, e allora sono corsa via. Siccome tardavo
15   a tornare, è venuta a chiamarmi, ma eravamo tutti impegnati a
cercare un pezzo della scenografia che non si trovava, un tubo di
metallo... È rimasta un po' lì ma poi deve essere tornata nel suo camerino. Ed è lì che l'ho rivista, a terra, su una macchia di sangue..."
A questo punto la signora Fronzoli non può trattenere le lacrime.
20   Caterina le fa coraggio prendendole le mani.
"Ha notato qualcosa di diverso in Lucille, ultimamente? Era
nervosa? Aveva litigato con qualcuno, magari?"
"Non più del solito. Prima dello spettacolo sono tutti isterici[30],
ovviamente ci sono dei contrasti, qualche litigio. Sa, tra artisti...
25   Parte del mio lavoro è proprio calmare il nervosismo di tutti. Anche il regista[31] era particolarmente agitato, questo spettacolo era

---

27. Si guardano e si capiscono senza parlare | 28. Un piccolo quader-
no | 29. L'insieme degli oggetti che si trovano sul palco | 30. Molto nervosi
e agitati | 31. La persona che dirige lo spettacolo dal punto di vista artistico

molto importante. E Lucille non aveva un carattere molto flessibi-
le[32], anzi! Però chi potrebbe fare una cosa del genere?"

Si ferma qualche secondo a pensare e riprende: "Aspetti, in realtà
c'è stato un problema. Proprio ieri, poco prima delle prove generali[33]. Ero nel camerino di Lorenzo Baldi, il tenore che interpreta   5
Pinkerton. Il camerino è proprio vicino a quello di Lucille. Lorenzo voleva il mio aiuto per convincere il regista a fargli mettere più
passione nella scena in cui Pinkerton vede suo figlio per la prima
volta. Stavamo parlando di questo quando abbiamo sentito che
Lucille stava litigando con Viola Felici nel suo camerino."   10

"È riuscita a capire cosa si stavano dicendo?" domanda Santoro.

"No, io e Lorenzo ci siamo guardati e siamo corsi fuori, ma
quando siamo usciti abbiamo visto solo Viola che correva via in lacrime[34]. Siamo andati nel camerino di Lucille, ma lei ha detto che
non aveva voglia di parlarne. Però mi ha pregata di tenere Viola   15
lontana da lei... ma io non ci ho dato peso[35]. Qui sono sempre tutti
isterici, e ancora di più quando manca così poco alla prima."

"Immagino…"

"Però Viola non potrebbe mai fare una cosa del genere…"

"Perché no?"   20

"È una persona così tranquilla e riservata. Se vuole sapere la verità, secondo me è anche più brava di Lucille. Ma è modesta e umile,
e questo ha sempre danneggiato la sua carriera. Lucille si è sempre
comportata da primadonna[36], Viola da sostituta."

---

32. Ragionevole, che si adatta con facilità | 33. Le ultime prove prima dello
spettacolo | 34. Piangendo | 35. Non ho dato importanza alla cosa | 36.
Diva

"E quando avete chiamato Viola per chiederle di sostituire Lucille nel terzo atto, come ha reagito?[37]"

"Era tranquilla anche allora. Contenta. Calmissima."

"E non ha domandato cos'era successo?"

5   "Veramente, no. Vede, quando ho trovato Lucille morta nel camerino ho urlato e quelli che erano più vicini sono arrivati di corsa. Ma a quanto pare Viola non ha sentito nulla. Non le abbiamo detto niente per non spaventarla, per non rovinare la sua esibizione[38]…"

"Capisco. Comunque, appena lo spettacolo sarà finito, la signora
10   Felici sarà la prima persona con cui parleremo. Intanto potrebbe dirmi chi è autorizzato[39] a entrare nei camerini?"

"Certo, prenda pure questa lista."

La signora Fronzoli prende dalla sua cartellina un foglio con nomi, numeri di telefono e ruoli[40] di tutti quelli che lavorano allo
15   spettacolo.

"La ringrazio, così ci evitiamo parecchio lavoro" dice Caterina mostrando il foglio a Santoro.

La signora Fronzoli esce dal camerino. Loro due invece restano lì dentro e Santoro commenta: "Ho notato che non è partita dal ki-
20   mono. Sta considerando questo caso soprattutto come un omicidio."

"Maggiore, sa meglio di me[41] che non possiamo escludere nessuna pista[42]. Forse si tratta di un ladro che ha ucciso Lucille perché l'ha scoperto mentre rubava. Oppure potrebbe essere un assassino che ha rubato il kimono solo perché era una prova che lo avrebbe
25   inchiodato[43]."

---

37. Come si è comportata | 38. La sua parte nello spettacolo | 39. Chi ha il permesso | 40. Compiti lavorativi | 41. Sa benissimo | 42. Ipotesi | 43. Che lo avrebbe fatto scoprire

Quando escono nel corridoio, Caterina osserva attentamente come sono fatte le quinte del teatro. Percorre[44] prima il corridoio verso l'uscita d'emergenza[45], dove un carabiniere sta rilevando[46] le impronte digitali[47] da un maniglione[48]. Poi torna indietro verso il palcoscenico. A destra e a sinistra c'è una serie di camerini. Ogni cantante principale ha un camerino personale, le comparse[49] si cambiano tutte nella stessa stanza. A parte l'uscita d'emergenza, ci sono due possibilità per uscire: passare dietro le quinte e poi sul palcoscenico, oppure percorrere i corridoi e salire nel foyer. È allora che Caterina si ricorda di nuovo di Guido. Decide di mandargli un messaggio: *Omicidio e kimono sparito. Torna pure in albergo e non aspettarmi sveglio. Notte[50]... e scusami!*

Santoro arriva di corsa.

"Ottime notizie," dice "ci sono telecamere a tutte le uscite. Ho già mandato qualcuno a controllare le registrazioni. Se l'assassino è già uscito, lo vedremo."

"Bene" risponde Caterina. "Ma se è ancora nel teatro potrebbe mischiarsi alla folla e uscire dalla porta principale. Teniamo d'occhio anche quella."

"D'accordo. Manderò qualcuno a controllare. Ma non credo che servirà a molto, se non sappiamo chi cercare" osserva Santoro.

A quel punto la musica e le voci che fino a poco prima arrivavano dal palcoscenico s'interrompono. C'è un attimo di silenzio surreale[51], come dopo l'urlo della signora Fronzoli. Poi, uno scrosciare di applausi[52].

---

44. Cammina attraverso | 45. La porta che si usa per uscire in caso di pericolo | 46. Sta prendendo | 47. Le impronte lasciate dalle dita | 48. La grande maniglia orizzontale sulle porte d'emergenza | 49. I cantanti con parti meno importanti | 50. Abbreviazione per "buona notte" | 51. Che non sembra reale | 52. Il rumore di lunghi e rumorosi applausi

CAPITOLO 4 **CONTRASTI**

Santoro e Caterina raggiungono Viola Felici nel suo camerino. L'attrice si sta già struccando[1] e attorno a lei ci sono i fiori inizialmente comprati per Lucille.

Caterina si affaccia al camerino che Viola condivide[2] con altre
5   attrici. "Signora Felici, sono il capitano Rossetti. Io e il mio collega, il maggiore Santoro, vorremmo farle alcune domande. Ci potreste lasciare da soli, per favore?" domanda, rivolgendosi alle altre donne presenti.

---

1. Togliendo il trucco | 2. Divide con

Viola si gira verso di loro. Dallo sguardo sembra non avere idea[3] del perché di quella visita, ma è evidente che la presenza di Santoro la colpisce[4] subito. Appena lui la saluta, abbassa lo sguardo e sorride timidamente. Caterina è certa che, sotto il trucco pesante, sta arrossendo[5].

"Signora Felici, posso chiederle dov'era durante l'intervallo tra il secondo e il terzo atto?"

"Ero dietro le quinte, come tutti. Perché?"

"Era con qualcuno? Qualcun altro può confermarlo[6]?"

"Ero con Lorenzo Baldi, il tenore... Ma perché? Perché mi fate queste domande?"

"Verificheremo subito se Baldi conferma la sua dichiarazione[7]. Vede, Lucille Prévert è stata trovata morta. Qualcuno l'ha uccisa proprio durante l'intervallo" risponde seccamente Caterina.

"Cosa??! Ma non è possibile!"

Caterina sa che la sorpresa di Viola è sincera, ma intuisce che c'è qualcos'altro. Quando Santoro le lancia un'occhiata[8], Caterina capisce che il collega ha la stessa sensazione.

"Ci hanno detto che ieri avete discusso[9]" le dice.

"Cosa? Sì, è vero, abbiamo discusso... Lucille aveva un brutto mal di gola. Cercava di nasconderlo, ma si notava che faceva fatica durante le prove generali. Così le ho proposto di sostituirla. Le ho consigliato di riposare, continuare a cantare con la gola irritata è pericoloso per la voce... Mi creda, ero sincera... Ma Lucille si è infuriata[10], ha cominciato a urlare, ad accusarmi di sabotaggio[11]. Ha

---

3. Non sapere assolutamente | 4. Le fa una certa impressione | 5. Diventare rossi in viso, per l'imbarazzo o per l'emozione | 6. Dire che una cosa è vera | 7. Quello che ha detto | 8. La guarda velocemente | 9. Avete avuto una discussione | 10. Si è arrabbiata moltissimo | 11. Tentativo di danneggiare qualcuno o qualcosa

detto che io e Riccardo volevamo farla fuori[12]... dallo spettacolo, intendo."

"Riccardo?" domanda Santoro alzando un sopracciglio.

"Sì, Riccardo Venturi, il regista" risponde Viola con un filo di voce[13].

"E perché Lucille pensava questo?" domanda subito Caterina.

"Io e Riccardo abbiamo una relazione[14]. Abbiamo cercato di nasconderla, ma..."

"Ma sono cose che capitano spesso, no?" domanda Santoro, rassicurante.

"Esatto. È facile innamorarsi di qualcuno che condivide la nostra stessa vita. Sicuramente capita anche tra di voi, no?"

Caterina abbassa subito lo sguardo e a Santoro scappa[15] un sorriso.

"Comunque non volevamo farlo sapere. Aspettavamo la fine dello spettacolo, anche perché Lucille è l'ex moglie di Riccardo..."

"Ah" commenta Santoro.

"Quindi Riccardo Venturi non voleva far sapere all'ex moglie di voi due?" domanda Caterina, sempre concentrata sull'interrogatorio[16].

"Lucille era molto possessiva, anche se non provava più nulla[17] per Riccardo. Era anche fidanzata ufficialmente con quel nuotatore americano che ora appare in tutte le pubblicità... Non gliel'abbiamo detto solo per paura della sua reazione. E Riccardo aveva bisogno di lei sul palcoscenico: la stampa la adora, da sempre..."

---

12. Eliminarla | 13. A voce bassa e incerta | 14. Stiamo insieme | 15. Non riesce a trattenere | 16. La serie di domande che si fa a un sospettato | 17. Non amava più

"Signora Felici, dov'era al momento dell'omicidio?" ripete Santoro.

"Mi trovavo dietro le quinte, ve l'ho detto! Era scomparso un tubo di metallo che fa parte della scenografia e stavo aiutando a cercarlo. Con me c'era Lorenzo Baldi. Ah, e anche il signor Bernardi, un tecnico."

"Va bene. La ringrazio per il suo aiuto. Comunque, se le viene in mente qualcosa[18]..." dice Caterina "Questo è il mio biglietto da visita."

"Ma certo... grazie."

"A interrogare Baldi e Bernardi ci penso io con i miei uomini, vada pure a dormire" suggerisce Santoro appena tornano nel corridoio.

"Sì, forse è meglio. Domani avremo anche i risultati dell'autopsia e sapremo qualcosa di più concreto sull'arma del delitto[19]".

18. Se si ricorda | 19. L'arma usata dall'assassino

CAPITOLO 5 **NUOVI DETTAGLI**

In albergo, Caterina entra in camera attenta a non fare rumore. È un vero sollievo[1] togliersi finalmente l'abito e le scarpe. Si fa una lunga doccia, poi controlla l'orologio: è quasi l'una. Si infila nel letto, abbraccia Guido e lo sente respirare tranquillamente mentre dorme. Non lo sveglia, già stando vicino a lui si sente meglio. Il giorno dopo scendono a fare colazione insieme. Attorno a loro ci sono soprattutto coppie di turisti pronti a fare il tour del quadrilatero della moda[2].

---

1. Un piacere, una liberazione | 2. Zona di Milano, famosa per lo shopping, delimitata da quattro vie importanti

Guido riempie una prima volta il piatto: uova, pancetta, pane tostato, un cornetto, un cappuccino e un succo di frutta. 'Gli basterà fino a cena' pensa divertita Caterina. Lo guarda riempire il secondo piatto mentre lentamente finisce il suo yogurt e domanda al cameriere se può avere un altro caffè. Sta cercando il coraggio   5
per dirgli che non potranno visitare insieme il mercato degli Oh Bej! Oh Bej!

"Allora, ci vediamo stasera?" domanda Guido a sorpresa.

"Stasera?"

"Caterina, ti conosco. Ora mi dai appuntamento da qualche par-   10
te per pranzo, e so che farai di tutto[3] per vedermi, ma alla fine rimarrai bloccata[4] dalle indagini. Ti conosco."

"Magari risolvo il caso in mattinata, e poi saremo di nuovo liberi."

"E chi lo sa? Piuttosto, preferisco sapere che stai cercando l'as-   15
sassino, credimi. Anche perché, se prima non risolvi il caso, non ti godi la vacanza. E diventi insopportabile. Più acida[5] dello yogurt che hai appena mangiato!" e ride. Anche Caterina ride, e una volta tanto è lei che prende l'iniziativa per dargli un bacio in pubblico.

Mentre esce dalla sala della colazione, Caterina nota una rivista   20
di pettegolezzi[6] sul tavolo di una turista americana. Qualcosa colpisce il suo sguardo[7], e chiede alla turista se può dare un'occhiata[8]. La donna fa segno di sì, e allora Caterina prende la rivista: in copertina[9] c'è il nuotatore fidanzato di Lucille. Si trova in un ristorante di New York con una famosa modella svedese.   25

---

3. Farai qualsiasi cosa | 4. Non riuscirai ad allontanarti | 5. Scontrosa, di cattivo umore | 6. Rivista con foto e informazioni personali su personaggi famosi | 7. Attira la sua attenzione | 8. Guardare velocemente | 9. La prima pagina

All'interno della rivista ci sono anche alcune foto di loro che si baciano. Caterina posa la rivista e ringrazia la turista.

"Novità?" chiede Caterina a Santoro appena arriva in caserma. "Baldi e Bernardi cos'hanno detto?"

5 "Hanno confermato l'alibi di Viola Felici. Ad ogni modo neanche loro amavano molto la Prévert…non doveva avere un bel carattere."

"E il fidanzato di Lucille l'avete contattato[10]?"

"Sì, un'ora fa. È in Svezia. Chissà perché non è venuto alla prima… Strano, no?"

10 "Mica tanto[11]! A quanto pare[12] ha una nuova fidanzata… svedese." Caterina gli racconta della rivista.

"Accipicchia[13]! Intanto sono arrivati anche i risultati dell'autopsia. Confermano che Lucille è morta a causa di un colpo in testa con un oggetto di metallo" le dice Santoro "E a parte il famoso tubo di

15 metallo, sembra che sia sparito anche il ferro da stiro dal camerino della Prévert."

"Ah. Ed è per caso sparito anche qualche oggetto di valore oltre al kimono?"

"Sembrerebbe di no."

20 "E i residui sotto le unghie?"

"Pelle umana. Il DNA è quello di un uomo."

In quel momento arriva un carabiniere. Ha gli occhi rossi e sembra confuso, quasi ipnotizzato.

"Che ti prende[14], Calì?" gli chiede Santoro, e gli dà una pacca[15]

25 sulla spalla che quasi lo fa cadere a terra.

"Ho… ho finito ora di guardare tutte le immagini delle telecamere e…"

---

10. Trovato e informato | 11. Solo in parte | 12. Sembra che | 13. Esclamazione che indica sorpresa | 14. Che cos'hai? | 15. Colpo con la mano aperta usato per salutare o per incoraggiare qualcuno

"E…?" chiedono in coro[16] i due ufficiali.

"E… niente! Nessuno è passato dall'uscita d'emergenza. E nelle immagini delle altre telecamere, quelle del pubblico, non ho notato niente di sospetto[17]."

"Mmmm questo non ci aiuta…" commenta Santoro.

"Ricapitoliamo[18] tutto e vediamo cosa ci è sfuggito[19]" suggerisce Caterina.

Rivedono insieme ogni passaggio, e i primi sospetti.

"Sarà stata Viola?" si domanda Santoro. "La relazione con il nuotatore va male e Lucille vuole tornare con l'ex marito. Però scopre che lui e Viola hanno una relazione. Allora Lucille litiga con Viola, che la uccide. Movente passionale[20], è molto comune" conclude Santoro con un altro dei suoi sorrisoni.

"Ma la pelle trovata sotto le unghie di Lucille è di un uomo…e poi ha un alibi, no?"

"Eh già…" risponde Santoro con un sospiro.

"Cosa sappiamo del regista, Riccardo Venturi?"

Santoro tira fuori un foglio dalla sua cartellina. "Riccardo Venturi, regista, nato a Rapallo nel 1967. Ex marito di Lucille Prévert. Attività nel teatro, di recente[21] ha fatto un tentativo nel cinema, ma è andato male. La sua casa di produzione[22] avrà perso parecchi soldi…"

"Che ne dice se facciamo controllare il suo conto in banca?"

"Buona idea."

---

16. Parlando contemporaneamente | 17. Niente di strano | 18. Rivediamo | 19. Cosa non abbiamo notato | 20. La ragione del delitto è sentimentale | 21. Poco tempo fa | 22. La società che paga un film

CAPITOLO 6 **CASO CHIUSO**

Un paio d'ore dopo, Caterina e Santoro, accompagnati da un maresciallo e due carabinieri, si presentano a casa di Venturi.

"Buongiorno. Non disturbiamo, vero?" domanda Caterina.

Il regista ha un bel graffio[1] in faccia. Quando vede il mandato
5 di perquisizione che Santoro gli sventola sotto il naso[2], sbianca in
volto[3] e li lascia entrare.

"Si è fatto male?" Il tono di Caterina è chiaramente provocatorio.

"Un... un incidente... ieri sera mentre rientravo. Una distrazione

---

1. Segno lasciato sulla pelle da un'unghia o un oggetto appuntito | 2. Gli fa
vedere il mandato muovendo il foglio con aria di sfida | 3.Diventa bianco

per strada, sa... la stanchezza, lo shock..."

Caterina sta al gioco[4:] "Ma la prego, si sieda, allora. Si metta como-do. Siamo venuti a farle qualche domanda su quello che è successo."

"Certo, certo. Una tragedia[5]. Io e Lucille eravamo divorziati[6], lo saprete già, ma lavoravamo ancora bene insieme. Era una donna piena di talento[7]. Una tragedia inspiegabile[8]..."

"Quando l'ha vista per l'ultima volta?"

"Mentre andava verso il suo camerino con la signora Fronzoli, all'inizio dell'intervallo."

"E dov'era al momento dell'omicidio?"

"Ero dietro le quinte, ovviamente. Sono il regista: se non ci sono io a dirigere tutto... Ma perché me lo domanda?"

"Perché nessuno si ricorda di averla vista. E in quel momento dietro le quinte c'erano molte persone: tutti stavano cercando un tubo sparito misteriosamente..."

Riccardo Venturi non dice nulla, così Caterina prosegue:

"Signor Venturi, abbiamo controllato il suo conto in banca, è prosciugato[9]. Il desiderio di avere successo anche nel cinema le ha fatto perdere parecchi soldi. All'inizio sperava nel matrimonio di Lucille con il nuotatore per risolvere almeno la questione degli alimenti[10] da pagare a Lucille. Poi, però, si sono lasciati..."

"...E Lei ha trovato un altro modo per risolvere i suoi problemi economici" continua Santoro. "Aveva a portata di mano un kimono così prezioso... ma doveva agire rapidamente, poteva sottrarlo solo durante la prima. Però qualcosa è andato male...

---

4. Fa finta di credergli | 5. Una cosa gravissima | 6. Non eravamo più sposa-ti | 7. Qualità artistiche | 8. Che non si può spiegare | 9. È completamente vuoto | 10. Somma di denaro che un ex coniuge deve dare all'altro per legge

"Sono... sono solo ipotesi..." Venturi non riesce neanche a parlare. Santoro continua senza fargli caso[11]: "Lucille non doveva rientrare nel camerino. In quel momento doveva cercare il tubo di metallo con gli altri, giusto Venturi?"

5   "Non avete prove... non avete nessuna prova!"

"Non la voleva uccidere" prosegue Caterina "ma è stato preso dal panico: doveva avere quel kimono a tutti a costi[12], ha agito per disperazione."

"Non avete prove, non avete niente!"

10   In quel momento arriva il maresciallo, in mano ha due buste di plastica trasparente: una contiene il kimono e l'altra un ferro da stiro.

"Li abbiamo trovati nascosti nel ripostiglio[13]. Il ferro da stiro è sporco di sangue."

15   "A quanto pare abbiamo qualcosa, signor Venturi" conclude Caterina. Poi si volta verso Santoro: "Maggiore, ha visto? Magari è il ferro da stiro del camerino di Lucille...". Quindi gli domanda: "Le dispiace finire Lei? Proseguirei volentieri la mia vacanza."

"Ma certo, vada pure. Ci pensiamo noi."

20   Mentre esce da casa del regista, nella piazza gelida[14] ma assolata[15], Caterina invia un messaggio a Guido: *Caso chiuso. Pranziamo insieme, no?*

---

11. Senza ascoltarlo | 12. Per forza | 13. Piccola stanza che serve per tenere oggetti differenti | 14. Freddissima | 15. Piena di sole

NOTE CULTURALI

OH BEJ! OH BEJ! Il mercatino natalizio degli **Oh bej! Oh bej!** è una delle più antiche tradizioni di Milano. La festa nasce nel XVI secolo, quando un inviato del papa entra in città e comincia a distribuire giocattoli e dolci ai bambini milanesi. Il nome del mercatino deriva dalle esclamazioni di gioia dei bambini: l'espressione in dialetto lombardo "Oh bej! Oh bej!" infatti si traduce in italiano con "Che belli! Che belli!". Il mercatino comincia il 7 dicembre, giorno di Sant'Ambrogio, e si tiene nella zona del Castello Sforzesco. Ci sono più di 400 bancarelle in cui si trova proprio di tutto: fiori, giocattoli, oggetti in ferro battuto, libri antichi e dolci. Molto caratteristici sono i *firunatt*, i venditori di castagne affumicate e infilate come una collana.

MUSEO DEL '900 Questo museo si trova vicino al Palazzo Reale e raccoglie più di 400 opere di importanti artisti del '900 come De Chirico, Modigliani, Mondrian, Picasso e Fontana. *Il Quarto Stato* di Pellizza da Volpedo è una delle opere più note nell'esposizione. Il museo ospita anche conferenze, concerti e presentazioni di libri.

QUADRILATERO DELLA MODA Il quadrilatero della moda è una zona di Milano compresa tra via Montenapoleone, via Manzoni, via della Spiga e corso Venezia. All'interno di questa zona si concentrano gioiellerie, boutique esclusive, showroom dei più importanti marchi italiani, sia di moda che di design. Le vetrine, il lusso e l'eleganza di queste strade sono il simbolo del Made in Italy, e attirano clienti e turisti da ogni parte del mondo.

MADAMA BUTTERFLY Madama Butterfly è un'opera lirica in tre atti di Giacomo Puccini. È stata rappresentata per la prima volta alla Scala di Milano nel 1904 e, dopo un fiasco iniziale, è presto diventata una delle opere italiane più famose al mondo. L'opera è ambientata in Giappone alla fine XIX secolo e racconta la triste storia di Madama Butterfly, una donna giapponese abbandonata dal marito americano. Quando il marito ritorna, Butterfly scopre che l'uomo si è risposato e, per il dolore, si uccide.

L'opera è un miscuglio di elementi orientali e occidentali, ed è stata interpretata, nel tempo, da famosissimi cantanti, tra cui Renata Tebaldi, Maria Callas, Luciano Pavarotti e Placido Domingo. Una delle arie più famose è *Un bel dì vedremo*, cantata da Madama Butterfly.

SAN BABILA E LA SUA PIAZZA San Babila è un'antichissima chiesa nel pieno centro di Milano, a pochi passi dal Duomo. Nel corso dei secoli è stata restaurata più volte, e solo da pochi decenni è tornata alla sua antica forma. La piazza davanti alla chiesa è ariosa e piacevole ed è stata per molto tempo il punto di incontro della Milano bene. La grande fontana che decora la piazza, realizzata negli ultimi anni del XX secolo, rappresenta le caratteristiche della Lombardia: i fiumi, le montagne, la Pianura Padana.

GALLERIA VITTORIO EMANUELE II È una galleria commerciale, costruita nel 1867, che collega piazza della Scala e piazza del Duomo. È un'alta struttura in ferro e vetro, e agli ingressi principali si trovano due archi trionfali. La parte centrale, a forma di ottagono, ha un pavimento a mosaico che rappresenta gli stemmi di quattro città che, nel corso del tempo, sono state le capitali del Regno d'Italia: Milano, Torino, Firenze e Roma. Secondo la tradizione, girare su se stessi tendendo il piede sui genitali del toro (il simbolo di Torino), porta fortuna. A causa di questo rito, che viene ripetuto centinaia di volte al giorno dai turisti, l'immagine del toro si consuma velocemente, e deve essere restaurata spesso.

In Galleria ci sono molti negozi di marchi prestigiosi, famosi bar e ristoranti e un hotel di lusso. Perciò la Galleria è considerata, insieme al Quadrilatero della moda, uno dei luoghi più importanti dello shopping milanese.

BRERA È uno dei quartieri più caratteristici di Milano e prende il nome dalla sua strada principale, via Brera. A Brera ci sono importanti centri culturali: la Pinacoteca di arte antica e moderna, la Biblioteca Nazionale Braidense, una delle più grandi biblioteche italiane, e l'Accademia delle Belle Arti, frequentata da migliaia di studenti. Questo quartiere, nel XIX secolo, era il ritrovo degli artisti e degli intellettuali e conserva ancora il fascino di quei tempi. Oggi, passeggiando per queste strette stradine, si possono scoprire boutique vintage e persino farsi predire il futuro da uno dei molti cartomanti.

Una via del quartiere Brera

LA SCALA Il Teatro alla Scala (spesso chiamato solo la Scala), inaugurato nel 1778, è uno dei teatri più famosi al mondo. La sua forma a ferro di cavallo è tipica del teatro "all'italiana". Attualmente accoglie più di 1800 spettatori, tra platea, palchi e gallerie. L'acustica è una delle migliori al mondo, grazie al soffitto in legno e all'inclinazione della platea.

Alla Scala si sono esibiti grandi direttori d'orchestra (von Karajan, Abbado, Barenboim) e straordinari cantanti (Maria Callas, Renata Tebaldi, Luciano Pavarotti, Montserrat Caballé). Le scenografie e i costumi di scena sono stati spesso curati da grandi nomi dell'arte e della moda: Pablo Picasso, De Chirico, Chagall, Versace e Missoni. Per tradizione, la stagione lirica si apre il 7 dicembre, giorno di Sant'Ambrogio. Questo primo spettacolo si chiama "la prima" ed è un importante evento culturale, istituzionale e mondano in Italia.

IL DUOMO E LA SUA PIAZZA Il Duomo è il simbolo di Milano ed è la quarta chiesa più grande d'Europa. I lavori di costruzione sono iniziati alla fine del XIV secolo e si sono conclusi nel XIX secolo, per questo, all'originale stile gotico, si sono aggiunti molti altri stili. Nel corso dei secoli, molti prestigiosi artisti ed architetti hanno collaborato alla sua realizzazione: Leonardo da Vinci, Vanvitelli, Bernini. Le caratteristiche del Duomo di Milano sono le numerose sculture e le vetrate monumentali che lo decorano. Un altro elemento tipico è la Madonnina in oro che si trova nel punto più alto della chiesa. È diventata il simbolo della città, e i Milanesi le hanno dedicato la famosa canzone in dialetto *Oh mia bela Madunina*.

Il Duomo ha bisogno di una manutenzione continua, soprattutto a causa dell'inquinamento, per questo si può dire che i lavori non sono mai finiti. Questo ha fatto nascere l'espressione "è lungo come la fabbrica del Duomo", che si usa per indicare un'opera o una situazione che continua nel tempo senza mai concludersi.

La piazza del Duomo è la piazza principale di Milano. È un importante punto di incontro per festeggiare eventi importanti, tenere comizi politici, concerti, eventi sportivi sul maxischermo.

Le caratteristiche guglie del Duomo di Milano

I NAVIGLI I Navigli sono un sistema di canali navigabili che metteva in comunicazione il lago Maggiore, quello di Como e il basso Ticino. La costruzione dell'intero sistema è durata dal XII al XIX secolo. Navigli è anche il nome di una zona di Milano delimitata dal Naviglio Grande, dal Naviglio Pavese e dalla darsena di porta Ticinese. Si tratta di una zona caratteristica, piena di locali, bar, ristoranti e con una vita molto vivace sia di giorno che di notte.

ATTIVITÀ

CAPITOLO 1 UN PO' DI VACANZE

1. Quali tra questi monumenti e luoghi d'interesse si trovano a Milano? Sai dove si trovano gli altri?

☐ Castello Sforzesco

☐ Uffizi

☐ Basilica di San Pietro

☐ Basilica di Sant'Ambrogio

☐ Ponte di Rialto

☐ Grattacielo Pirelli

☐ Vesuvio

☐ Triennale

☐ Torre Pendente

☐ Pinacoteca di Brera

....
....
....
....

2. Indica ☑ quali delle seguenti frasi sono vere e correggi quelle false.

☐ 1.Caterina e Guido hanno organizzato la vacanza all'ultimo minuto.

....
....
....

☐ 2. Immacolata è la patrona di Milano.

....
....
....

☐ 3. Nel pomeriggio, Caterina e Guido visitano il museo del Novecento e il mercatino degli Oh Bej! Oh Bej!

....
....
....

☐ 4. Caterina è molto riservata.

....
....
....

☐ 5. Milano è decorata per Natale.

....
....
....

☐ 6. Caterina e Guido si vestono in maniera informale per andare all'opera.

....
....
....

☐ 7. A Guido piace quando Caterina si fa bella.

....
....
....

☐   8. Andare a una prima alla Scala è un evento speciale.

....

....

....

3. Qual è il significato delle seguenti espressioni? Leggile in contesto e scegli ☑ l'opzione corretta.

1. Quando si tratta di un mercatino natalizio [...], Guido torna bambino, <u>gli luccicano anche gli occhi</u>.

a. Guido è triste e malinconico. ☐

b. Guido è contento ed entusiasta. ☐

c. Guido è immaturo. ☐

2. "Incredibile. Una volta tanto sei vestita da donna!" scherza Guido [...] "Se vuoi, però, mi cambio" [risponde Caterina] e <u>strizza l'occhio</u>.

a. Caterina scherza, non vuole cambiarsi. ☐

b. Caterina guarda male Guido, è arrabbiata. ☐

c. Caterina si guarda e non si piace. ☐

3. Prima di rientrare per prepararsi, prendono un tipico aperitivo milanese... <u>un vero banchetto</u>!

a. L'aperitivo è molto ricco. ☐

b. L'aperitivo è una festa. ☐

c. L'aperitivo è molto caro. ☐

4. "Al museo potremmo andarci anche oggi pomeriggio. L'albergo è vicino a San Babila, possiamo fare una passeggiata [...]" "<u>Affare fatto</u>!"

a. Guido non accetta la proposta di Caterina. ☐

b. Guido non è molto convinto della proposta di Caterina. ☐

c. Guido accetta volentieri la proposta di Caterina. ☐

4. Cosa potrebbe fare un turista nella tua città? Prepara un itinerario per un fine settimana.

CAPITOLO 2 LA SCALA

1. Sei un esperto di Lirica? Abbina le opere al loro autore.

Tosca

Aida

Tristano e Isotta

La sonnambula

Il barbiere di Siviglia

Carmen

Georges Bizet

Giacomo Puccini

Vincenzo Bellini

Richard Wagner

Gioacchino Rossini

Giuseppe Verdi

2. Indica se le seguenti affermazioni sono vere o false.

1. Davanti alla Scala c'è tantissima gente.   V ☐ F ☐

2. Alla prima ci sono molte personalità della politica
   e dello spettacolo.   V ☐ F ☐

3. Caterina aveva un appuntamento con il Generale.   .V ☐ F ☐

4. Guido è contento di prendere un caffè
   con il Generale.   V ☐ F ☐

5. Lo spettacolo è molto emozionante.   V ☐ F ☐

6. Quando si riapre il sipario e lo spettacolo non
   riprende, il pubblico rimane indifferente.   V ☐ F ☐

7. Caterina e Guido non si interessano a quello
   che succede.   V☐ F☐

8. Il Generale fa chiamare Caterina.   V☐ F☐

3. Risolvi il cruciverba e scopri il nome di un altro famoso teatro italiano.

1. Se non si compra, non si può vedere lo spettacolo.
2. La prima rappresentazione di un'opera.
3. La sala d'attesa dei teatri.
4. L'impiegato che indica il posto agli spettatori.
5. La parte del teatro dove recitano gli attori.
6. Le grandi tende che si aprono all'inizio dello spettacolo.
7. L'insieme di tutti i musicisti.
8. I posti in basso, davanti al palcoscenico.

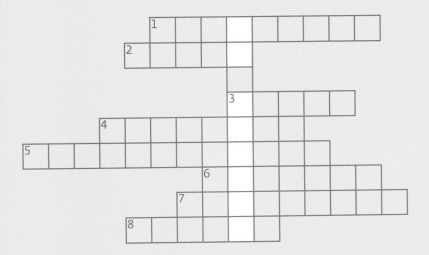

4. Perché il terzo atto non comincia? Chi ha urlato? Perché il Generale vuole vedere Caterina? Prova a fare delle ipotesi.

....

....

....

....

....

....

....

....

....

CAPITOLO 3 DOPPIO CRIMINE

1. Riordina queste frasi per ottenere il riassunto del capitolo.

☐ a. Caterina interroga la signora Fronzoli.

☐ b. Caterina e Santoro decidono di far controllare le telecamere e le uscite.

☐ c. Lucille Prévert, la soprano che interpreta Madama Butterfly, è stata uccisa nel suo camerino e il prezioso kimono è scomparso.

☐ d. Il medico legale dice che Lucille è stata colpita con un oggetto di metallo.

☐ e. Caterina accetta di collaborare alle indagini e lavora insieme al maggiore Santoro.

☐ f. Si sente rumore di applausi: lo spettacolo è finito.

2. Indica ☑ quali delle seguenti frasi sono vere e correggi quelle false.

☐ 1. Il Generale chiede l'aiuto di Caterina perché è esperta in casi di omicidio.

....

....

....

☐ 2. Il pubblico non è stato informato dell'omicidio per non creare panico.

....

....

....

☐ 3. Lucille è stata uccisa con un coltello.

....

....

....

☐ 4. La signora Fronzoli dice che tra il secondo e il terzo atto c'è stato un problema con la scenografia.

....

....

....

☐ 5. La signora Fronzoli racconta che Lucille ha litigato con il regista il giorno prima.

....

....

....

☐ 6. Quando le hanno chiesto di sostituire Lucille, Viola era contenta e calma e non ha chiesto il perché.

....

....

....

☐ 7. Secondo la signora Fronzoli, Viola era invidiosa di Lucille.

....

....

....

☐ 8. L'urlo che si sente tra il secondo e il terzo atto è della signora Fronzoli.

....

....

....

3. ~~Elimina~~ da ciascun gruppo l'elemento estraneo.

1. maresciallo, capitano, generale, vittima.

2. medico legale, furto, cadavere, autopsia.

3. rubare, omicidio, assassino, uccidere.

4. camerini, quinte, galleria, regista.

5. indagine, prova, pista, palcoscenico.

4. Cerchia l'opzione corretta.

I carabinieri stanno **indagando / scoprendo** su un doppio caso di omicidio e furto. Caterina non vuole **escludere / rilevare** nessuna pista per **indagare / trovare** il colpevole: potrebbe essere un **assassino / ladro** che è entrato nel camerino per rubare e poi è stato scoperto. Oppure potrebbe essere un assassino che ha **ucciso / lottato** Lucille e poi ha portato via il kimono per far sparire **dei crimini / delle prove**. L'omicidio, però, non sembra **premeditato / escluso**, perché l'assassino non ha usato **un'arma / una vittima** vera e propria.

5. Secondo te, chi sono i possibili sospetti? Perché? Prova a fare delle ipotesi.

CAPITOLO 4 CONTRASTI

1. Indica ☑ **quali delle seguenti frasi sono vere e correggi quelle false.**

☐ 1. Caterina e Santoro interrogano Viola nel suo camerino.

....

....

....

☐ 2. Caterina chiede alle altre attrici di uscire.

....

....

....

☐ 3. Viola dice che tra il secondo e il terzo atto si trovava nel suo camerino.

....

....

....

☐ 4. Viola dice che Lucille aveva un brutto mal di gola.

....

....

....

☐ 5. Riccardo Venturi è il regista dello spettacolo.

....

....

....

☐ 6. Viola è l'ex moglie di Riccardo Venturi.

....

....

....

☐ 7. Lucille era ancora innamorata di Riccardo.

....

....

....

☐ 8. Santoro e Caterina continuano gli interrogatori per tutta la notte.

....

....

....

2. Scegli ☑ l'opzione corretta.

1. Quando viene a sapere della morte di Lucille, Viola mostra:
a. sorpresa.   ☐
b. gioia.   ☐
c. disinteresse.   ☐

2. Viola e Lucille hanno discusso perché:
a. Viola l'ha insultata.   ☐
b. Viola dice a Lucille di non cantare alla prima.   ☐
c. Viola ha una relazione con Riccardo Venturi.   ☐

3. Riccardo e Viola non hanno detto della loro relazione a Lucille perché:
a. Lucille e Riccardo erano ancora sposati.   ☐
b. Lucille era ancora innamorata di Riccardo.   ☐
c. la reazione di Lucille poteva danneggiare lo spettacolo.   ☐

4. Viola racconta che al momento dell'omicidio:

a. stava ripassando la sua parte nel suo camerino. ☐

b. era insieme a Lorenzo Baldi e al signor Bernardi. ☐

c. era dietro le quinte, con Riccardo Venturi. ☐

3. Completa il testo con le seguenti parole. Attenzione: ci sono due parole in più.

sipario	scenografia	prove generali
palcoscenico	spettacolo	applausi
intervallo	esibizioni	quinte	camerini

Le .... sono le ultime prove che si fanno prima dello .... Tutto deve essere perfetto: le .... , le luci, la .... Il giorno dello spettacolo, gli attori si cambiano nei .... e poi aspettano dietro le .... il loro turno per salire sul .... Se lo spettacolo è andato bene, il pubblico ricompensa gli artisti con uno scrosciare di ....

4. Secondo te, Viola dice la verità? Oltre a lei, quali sono gli altri sospetti?

CAPITOLO 5 NUOVI DETTAGLI

1. Indica ☑ **quali delle seguenti frasi sono vere e correggi quelle false.**

☐ 1. Quando torna in albergo, Caterina sveglia Guido e gli racconta cosa è successo.

....

....

....

☐ 2. In albergo, a colazione, ci sono molti turisti pronti per fare shopping.

....

....

....

☐ 3. Caterina spera di risolvere il caso in mattinata, ma Guido non è convinto.

....

....

....

☐ 4. Caterina, mentre fa colazione, legge una rivista di pettegolezzi.

....

....

....

☐ 5. Il nuotatore fidanzato di Lucille si trova a New York.

....

....

....

☐ 6. L'arma del delitto non è stata trovata.

....

....

....

☐ 7. Riccardo Venturi ha avuto successo nel cinema.

....

....

....

☐ 8. Caterina e Santoro fanno controllare il conto in banca di Venturi.

....

....

....

2. Correggi il riassunto.

La mattina successiva, Caterina e Guido fanno colazione insieme e decidono di andare alla fiera degli Oh Bej! Oh Bej! Per caso, Caterina vede su una rivista una foto di Lucille e del suo fidanzato americano e, quando arriva in caserma, lo racconta a Santoro. Intanto, i risultati dell'autopsia hanno confermato che l'arma del delitto è un oggetto di metallo e hanno rivelato che sotto le unghie di Lucille ci sono residui di pelle di una donna. Il maresciallo che ha controllato le telecamere dice che nessuno ha usato l'uscita di emergenza e che lui non ha notato nulla di sospetto. Caterina e Santoro decidono di tornare al teatro per interrogare il regista, Riccardo Venturi, e intanto fanno perquisire casa sua.

....

....

....
....
....
....
....
....
....
....
....
....

3. Per ogni personaggio, indica l'eventuale movente e l'alibi (se esiste). Chi è o chi sono finora i sospettati?

	movente	alibi
Viola Felici		
signora Fronzoli		
Riccardo Venturi		
Lorenzo Baldi		
signor Bernardi		
fidanzato di Lucille		

4. È il momento di fare il punto della situazione. Riassumi i punti principali delle indagini.

CAPITOLO 6 CASO CHIUSO

1. Indica ☑ qual è il riassunto corretto del capitolo 6.

☐ 1. Quando Riccardo Venturi vede il mandato di perquisizione, si preoccupa molto. Caterina e Santoro lo interrogano e lui dice che al momento del delitto stava cercando un tubo dietro le quinte. I carabinieri trovano il kimono e un ferro da stiro nel camerino di Lucille. Caterina raggiunge Guido per pranzo.

☐ 2. Quando Riccardo Venturi vede il mandato di perquisizione, si preoccupa molto. Caterina e Santoro lo interrogano e lui dice che al momento del delitto era dietro le quinte. I carabinieri trovano il kimono e un ferro da stiro in casa di Venturi. Caterina raggiunge Guido per pranzo.

2. Rispondi alle seguenti domande.

1. Perché Caterina e Santoro hanno escluso Viola dalla lista dei sospettati?

....

....

2. Da cosa sono nati i sospetti sul regista Riccardo Venturi?

....

....

3. Per quale motivo Riccardo Venturi sperava in un nuovo matrimonio di Lucille?

....

....

4. Perché Lucille è stata uccisa?

....

....

3. Scrivi l'articolo pubblicato il giorno dopo su Milano Cronache. Racconta brevemente la notizia e come si è risolto il caso.

MILANO CRONACHE

"IL KIMONO MORTALE"

SOLUZIONI

PRIMA DI LEGGERE

2. a. Galleria Vittorio Emanuele II
b. Duomo
c. Navigli

CAPITOLO 1 UN PO' DI VACANZE

1. A Milano: Castello Sforzesco, Basilica di Sant'Ambrogio, Gratta-cielo Pirelli, Triennale, Pinacoteca di Brera.
Altre località: Uffizi – Firenze, Basilica di San Pietro – Roma, Ponte di Rialto – Venezia, Vesuvio – Napoli, Torre Pendente – Pisa.

2. 1. Falso. Caterina e Guido volevano andare in vacanza da tanto tempo.
2. Falso. Il patrono di Milano è Sant'Ambrogio.
3. Falso. Nel pomeriggio visitano il Museo del Novecento e fanno una passeggiata verso il duomo.
4. V
5. V
6. Falso. Caterina e Guido si vestono molto eleganti.
7. V
8. V

3. 1. b
2. a
3. a
4. c

CAPITOLO 2 LA SCALA

1. 1. Tosca - Giacomo Puccini
   2. Aida - Giuseppe Verdi
   3. Tristano e Isotta - Richard Wagner
   4. La sonnanbula - Vincenzo Bellini
   5. Il barbiere di Siviglia - Gioacchino Rossini
   6. Carmen - Georges Bizet

2. 1. V
   2. V
   3. F
   4. F
   5. V
   6. F
   7. F
   8. V

3. 1. biglietto
   2. prima
   3. foyer
   4. maschera
   5. palcoscenico
   6. sipario
   7. orchestra
   8. platea

Il famoso teatro italiano è La Fenice di Venezia.

CAPITOLO 3 DOPPIO CRIMINE

1. c / e / d / a / b / f

2. 1. Falso. Il Generale chiede l'aiuto di Caterina perché è esperta in Patrimonio artistico.

2. V

3. Falso. Il medico legale parla di un oggetto contundente.

4. V

5. Falso. Lucille ha litigato con Viola Felici il giorno prima.

6. V

7. Falso. La signora Fronzoli dice che Viola è modesta e umile.

8. V

3. 1. vittima

2. furto

3. rubare

4. regista

5. palcoscenico

4. indagando / escludere / trovare / ladro / ucciso / delle prove / premeditato / un'arma

CAPITOLO 4 CONTRASTI

1. 1. V

2. V

3. Falso. Viola dice che si trovava dietro le quinte.

4. V

5. V

6. Falso. Viola è la compagna attuale di Riccardo Venturi.

7. Falso. Lucille non era più innamorata ma era molto possessiva.

8. Falso. Caterina va a dormire. Santoro continua gli interrogatori con i suoi uomini.

2. 1. a

2. b

3. c

4. b

3. 1. prove generali

2. spettacolo

3. esibizioni

3. scenografia

4. camerini

5. quinte

6. palcoscenico

7. applausi

CAPITOLO 5 NUOVI DETTAGLI

1. 1. Falso. Non fa rumore perché non lo vuole svegliare.

2. V

3. V

4. Falso. Parla con Guido. Prende la rivista mentre esce dalla sala.

5. Falso. Si trova in Svezia.

6. V

7. Falso. Il tentativo è andato male.

8. V

2. La mattina successiva Caterina e Guido fanno colazione insieme e decidono di andare alla fiera degli Oh Bej! Oh Bej! (si danno appuntamento per quella sera). Per caso, Caterina vede su una rivista una foto di Lucille e del suo fidanzato americano (del fidanzato di Lucille e di una modella svedese) e, quando arriva in caserma, lo racconta a Santoro. Intanto, i risultati dell'autopsia hanno confermato che l'arma del delitto è un oggetto di metallo e hanno rivelato che sotto le unghie di Lucille ci sono residui di pelle di una donna (di un uomo). Il maresciallo che ha controllato le telecamere dice che nessuno ha usato l'uscita di emergenza e che lui non ha notato nulla di sospetto. Caterina e Santoro decidono di tornare al teatro per interrogare il regista, Riccardo Venturi, e intanto ~~fanno perquisire casa sua~~ (fanno controllare il suo conto in banca).

3. Risposte possibili:
   1. Viola Felici. Movente: invidia. Alibi: Lorenzo Baldi e signor Bernardi.
   2. Signorina Fronzoli. Movente: sconosciuto. Alibi: sconosciuto.
   3. Riccardo Venturi. Movente: gelosia / possibili problemi economici. Alibi: era dietro le quinte con gli attori.
   4. Lorenzo Baldi. Movente: sconosciuto. Alibi: sconosciuto.
   5. Signor Bernardi. Movente: sconosciuto. Alibi: sconosciuto.
   6. Fidanzato di Lucille. Movente: gelosia/un litigio. Alibi: si trova in Svezia.

CAPITOLO 6 CASO CHIUSO

1. Riassunto 2.

2. Risposte possibili:
   1. Viola non è più sospettata perché ha un alibi e perché il DNA trovato sotto le unghie di Lucille è di un uomo.
   2. Riccardo Venturi è sospettato perché ha problemi economici.
   3. Riccardo Venturi sperava in un nuovo matrimonio di Lucille per non pagare più gli alimenti.
   4. Lucille è stata uccisa perché ha scoperto Riccardo mentre rubava il kimono.

GIALLO ALL'ITALIANA
IL KIMONO DI MADAMA BUTTERFLY

Autore
Slawka Giorgia Scarso

Direttore editoriale
Eduard Sancho

Coordinamento editoriale
Ludovica Colussi

Revisione didattica
Ludovica Colussi

Redazione
Fidelia Sollazzo, Ludovica Colussi

Attività
Fidelia Sollazzo

Progetto grafico della collana
La japonesa

Impaginazione e progetto grafico
La japonesa

Registrazioni
Blind Records

Locutore
Ludovica Colussi

© Fotografie
Copertina: La japonesa; p. 2 Logo Circolo Letterario Bel-Ami, Slawka Scarso; p. 6 Alterboy/Wikipedia, Mike_fleming/Flickr, Ludovica Colussi; p. 7 Atm2003/Dreamstime; p. 10 frenk58/Fotolia; p. 15 Wikipedia; p. 22 Luba V Nel/Dreamstime; p. 26 aigarsr/Fotolia; p. 30 jinga80/Fotolia; p. 35 yisris/Flickr; p. 36 Mummelgrummel/Wikimedia.

N.B.: tutte le fotografie provenienti da www.flickr.com, Wikipedia e Wikimedia Commons sono soggette alla licenza Creative Commons (2.0 e 3.0).

Per tutti i testi e documenti riprodotti in questo manuale sono stati concessi dei permessi di riproduzione. Difusión S.L. è a disposizione degli aventi diritto non potuti reperire. È gradita la segnalazione di eventuali omissioni ed inesattezze, per poter rimediare nelle successive edizioni.

Tutti i diritti di traduzione, memorizzazione elettronica, riproduzione e di adattamento totale o parziale, con qualsiasi mezzo (compresi microfilm e le copie fotostatiche), sono riservati per tutto il mondo. Il mancato rispetto di tali diritti costituisce un delitto contro la proprietà intellettuale (art. 270 e successivi del Codice penale spagnolo).

© Difusión, S. L., Barcellona 2014

ISBN
978-84-16057-02-3

Deposito legale
B 4769-2014

Stampato in UE

Ristampa: dicembre 2019